指一指，认一认图中小朋友的五官吧。

妈咪课堂 和宝宝一起照照镜子，教宝宝认识眼睛、鼻子、嘴、耳朵、眉毛等各个部位，然后让宝宝试着说一说。

谁正在开心地笑呢？学学他，笑一笑。

妈咪课堂 ｜ 要经常对宝宝笑，经常逗宝宝笑。

2

红色的水果在哪儿？

妈咪课堂 | 宝宝喜欢看红色，让宝宝多看红色，有助于宝宝视觉能力的发展。

红色的花一共有几朵?

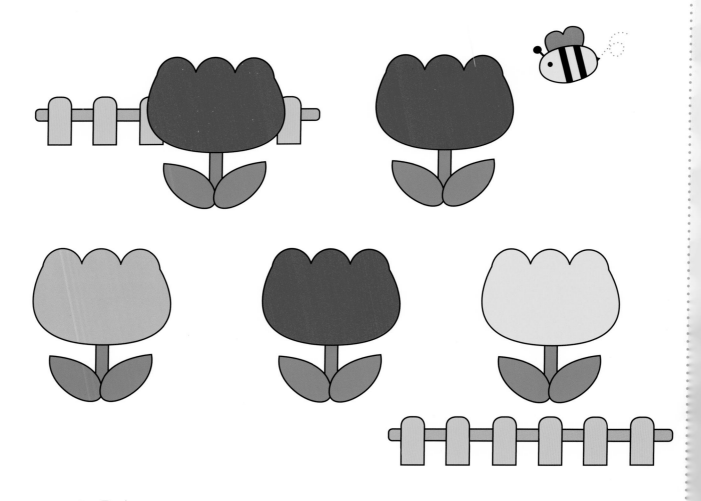

妈咪课堂 | 生活中的任何东西都可以用来教宝宝数数,如在喂宝宝吃饭时经常说一口、两口、三口……让宝宝经常接触数字,加深对数字的理解。

谁在**上**，谁在**下**？

妈咪课堂 | 在日常生活中，很多东西都可以拿来对宝宝进行方位的认知训练，比如杯子在桌子上，皮球在桌子下。

哪些东西能吃?

妈咪课堂 | 教宝宝认识食物,增加宝宝对食物的兴趣和好感,让宝宝养成健康的饮食习惯。

哪个气球是圆形的?

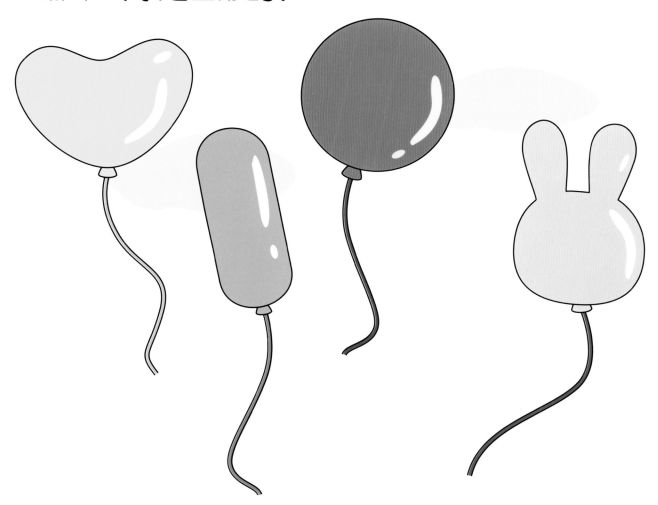

妈咪课堂 | 在通常情况下，宝宝最先认识的图形是圆形。经常让宝宝找一找，房间里有哪些物品是圆形的，户外有哪些物品是圆形的。

小猴的风筝哪儿去了？

妈咪课堂 | 在生活中可以经常让宝宝寻找特定的物品，宝宝找到以后别忘了鼓励他哦。

哪一组是按从小到大的顺序排列的？
哪一组是按从大到小的顺序排列的？

妈咪课堂 | 可以教宝宝很快学会大小排列的一个玩具就是套塔了，而且套塔能很好地培养宝宝的专注力。多玩几次，他就能找到规律。

他们都是什么表情？

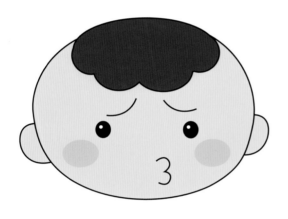

妈咪课堂 | 宝宝具有超强的模仿能力，妈妈在和宝宝交流的过程中，可以做一些表情让宝宝模仿。让宝宝接触和理解各种表情，丰富宝宝的情感。

各种响声

它们能发出什么样的响声呢?

妈咪课堂 | 为宝宝模仿图中玩具发出的声音，平时也可以利用身边各种会发声的物品，让其在不同位置发出声音，吸引宝宝寻找声源。

谁和谁是一家呢？

妈咪课堂 | 可以经常给宝宝看看照片，教宝宝认识家庭成员，讲讲照片中发生的事情。让宝宝初步了解家庭成员之间的关系。

把图中的餐具找出来。

它们分别是什么颜色的?

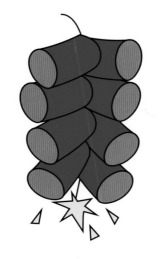

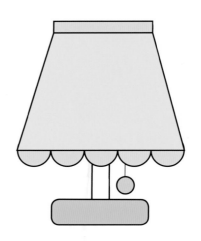

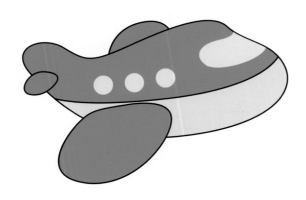

 妈咪课堂 | 对于宝宝来说,经常看一些鲜艳的颜色,可以促进视觉能力的发展,并且提高对颜色的辨别能力。

谁和其他的不一样呢?

妈咪课堂 | 教宝宝在进行比较的时候，既要比较颜色，又要比较姿势。

15

哪棵苹果树上的苹果多呢?

妈咪课堂 | 平时可以经常利用实物引导宝宝进行"多"与"少"的量化比较练习,让宝宝通过实物感知比较的概念,并加强对量化关系的认知。

谁和谁一模一样呢?

妈咪课堂 也可以利用积木来锻炼宝宝的观察能力,让宝宝在许多块积木中找一找,找出颜色相同的,再找出形状相同的。

用笔沿着虚线描一描。

妈咪课堂 | 画直线的练习可以帮助宝宝锻炼手眼协调能力，还能提高宝宝的专注力。

将小鸭的帽子涂成红颜色。

妈咪课堂 | 和宝宝一起观察图片，并描述小鸡和小鸭的不同特征。在日常生活中也可以利用图片或实物教宝宝认识不同动物的特征。

小蜜蜂去哪里采花蜜呢?

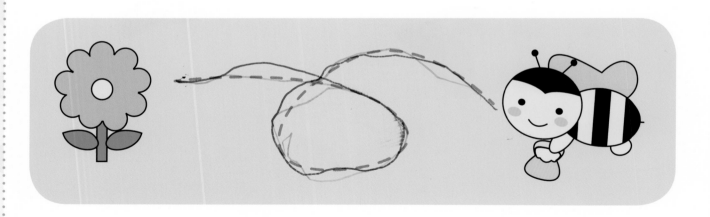

妈咪课堂 | 引导宝宝按照虚线画出小蜜蜂飞行的路线，锻炼宝宝的手眼协调能力。

谁走的路线长呢？

将颜色补充完整。

妈咪课堂 | 每天买菜回来，都可以叫宝宝过来看看，教宝宝通过颜色和形状辨认各种蔬菜。

用不同颜色的笔沿着虚线描一描。

妈咪课堂 | 沿着虚线描画形式各异的线条，能够培养宝宝的专注力。

你会自己做这些事情吗？

 妈咪课堂 | 让宝宝做力所能及的事情，培养宝宝的独立能力和自信心。同时宝宝的专注力也会得到提高。

24

好朋友们想送给小熊什么礼物呢?

妈咪课堂 经常让宝宝练习看图说话,可以锻炼宝宝的语言表达能力。这个画面可以让宝宝反复练习一个句式,如"……想送给小熊……"。

哪一套是宝宝的衣服呢?

妈咪课堂 | 教宝宝辨别衣服的大小，并鼓励宝宝选择自己想穿的衣服。

判断能力 ·········· **拿玩具**

借助什么才能拿到玩具小汽车呢？

妈咪课堂 | 把宝宝最喜欢的玩具放在离宝宝较远的地方，教宝宝努力去拿到玩具。这样可以让宝宝开动脑筋思考，并锻炼手脚的灵活性。

27

什么在盒子外面，什么在盒子里面？

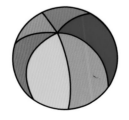

妈咪课堂 | 在生活中经常告诉宝宝，什么在里面，什么在外面，加强宝宝对空间方位的感知。

小猴子在做什么？请你学着做做看。

妈咪课堂 ｜ 带着宝宝一起做一做图中的动作，锻炼宝宝的模仿能力和身体的灵活性。

小鹿要找小斑马，该怎么走？

妈咪课堂 ｜ 引导宝宝找到小桥，告诉他经过小桥，小鹿就能找到小斑马了。教宝宝遇到问题时要细心观察，认真思考，寻找解决办法。

你能将雨点画出来吗？

妈咪课堂 | 教宝宝画雨点，可以画成线，也可以画成点。除此以外，可以给宝宝一支画笔和一张白纸，让他随意画，喜欢画什么就画什么。

它们是怎样走路的？

妈咪课堂 | 为宝宝讲解相关知识，让宝宝知道，小动物们有很多走路方式，比如跳着走、爬着走、迈步走，等等。

有多少只可爱的小老鼠呢?

妈咪课堂 | 生活中有很多东西都可以用来教宝宝练习数数。比如积木、小球、水果等。

想要玩具小熊，应该拉哪根线呢？

妈咪课堂 | 可以找几根线拴住几个轻重不等的玩具，将线混在一起，然后要求宝宝通过拉线找出某一个玩具，锻炼宝宝的观察能力，并让宝宝感受拉玩具时的不同力量。

什么在左右两幅图中都出现了？

妈咪课堂 | 经常带宝宝外出。如果宝宝盯着什么东西看很长时间，妈妈千万不要打断他。

打扫

打扫房间需要用什么呢？

妈咪课堂 | 日常生活中，可以经常给宝宝讲周围物品的用途，让宝宝了解各种物品的功能，并告诉宝宝，做事情必须借助相应的物品才能完成。

桃子少了

为什么桃树上的桃子少了?

① ②

妈咪课堂 | 让宝宝观察两棵桃树的区别,并且指出变化的原因,锻炼宝宝的
观察能力和分析判断能力。

谁能穿过三个障碍，谁只能穿过一个？

妈咪课堂 把几个废旧的大纸箱底部挖空，做成山洞的样子，让宝宝爬一爬、钻一钻，宝宝还会根据洞的大小调节趴下时身体的高度。

观察能力　红色

红色的水果在哪儿？

妈咪课堂　宝宝喜欢看红色，让宝宝多看红色，有助于宝宝视觉能力的发展。

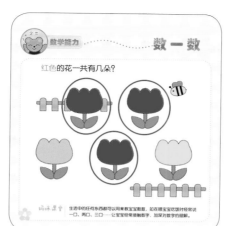

数学能力　数一数

红色的花一共有几朵？

妈咪课堂　生活中的任何东西都可以用来数宝宝数，如在喂宝宝吃饭时经常说一口、两口、三口。让宝宝经常接触数字，加深对数字的理解。

认知能力　食物

哪些东西能吃？

妈咪课堂　教宝宝认识食物，增加宝宝对食物的兴趣和时感，让宝宝养成健康的饮食习惯。

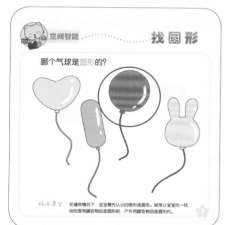

空间智能　找圆形

哪个气球是圆形的？

妈咪课堂　在通常情况下，宝宝最先认识的图形是圆形。经常让宝宝找一找，房间里有圆的物品是圆形的，户外有哪些物品是圆形的。

观察能力　找风筝

小猴的风筝哪儿去了？

妈咪课堂　在生活中可以经常让宝宝寻找特定的物品，宝宝找到以后别忘了鼓励他哦。

人际交往　家庭

谁和谁是一家呢？

妈咪课堂　可以经常给宝宝看照片，教宝宝认识家庭成员，讲讲照片中发生的事情。让宝宝初步了解家庭成员之间的关系。

认知能力　开饭了

把图中的餐具找出来。

妈咪课堂　教宝宝认识以及如何使用餐具，为宝宝学会自己吃饭做准备。

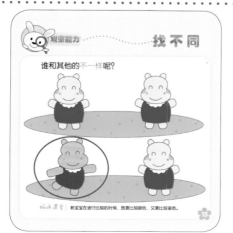

观察能力　找不同

谁和其他的不一样呢？

妈咪课堂　教宝宝在进行比较的时候，既要比较颜色，又要比较姿势。

数学能力　多与少

哪棵苹果树上的苹果多呢？

妈咪课堂　平时可以经常用实物引导宝宝进行"多"与"少"的量化比较练习。让宝宝通过实物感知比较的概念，并加深对量化关系的认知。

39

部分参考答案

观察能力　**找相同**

谁和谁一模一样呢?

妈咪课堂 也可以利用积木来锻炼宝宝的观察能力，让宝宝在许多块积木中找一找，找出颜色相同的，再找出形状相同的。 17

认知能力　**识特征**

将小鸭的帽子涂成红颜色。

妈咪课堂 和宝宝一起观察图片，并描述小鸡和小鸭的不同特征。在日常生活中也可以利用图片或实物教宝宝认识不同动物的特征。 19

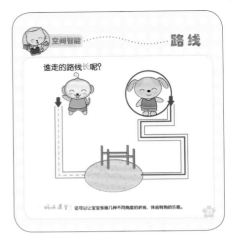

空间智能　**路线**

谁走的路线长呢?

妈咪课堂 还可以让宝宝多画几种不同角度的折线，体会转角的乐趣。 21

独立能力　**衣服**

哪一套是宝宝的衣服呢?

妈咪课堂 教宝宝辨别衣服的大小，并鼓励宝宝选择自己想穿的衣服。 26

判断能力　**拿玩具**

借助什么才能拿到玩具小汽车呢?

妈咪课堂 把宝宝最喜欢的玩具放在离宝宝较远的地方，教宝宝努力去拿到玩具。这样可以让宝宝开动脑筋思考，并锻炼手部的灵活性。 27

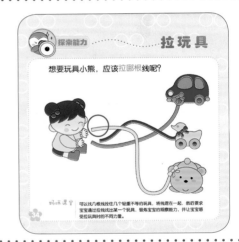

探索能力　**拉玩具**

想要玩具小熊，应该拉哪根线呢?

妈咪课堂 可以用几根线拴住几个轻重不等的玩具，将线是在某一个玩具上，然后要求宝宝通过拉线找出某个玩具，锻炼宝宝的观察能力，并让宝宝感受拉玩具时的不同力量。

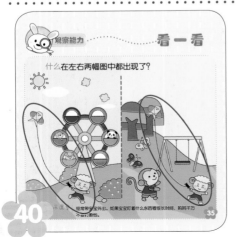

观察能力　**看一看**

什么在左右两幅图中都出现了?

妈咪课堂 经常带宝宝到户外出去，如果宝宝看着什么东西看得很时间，妈妈千万不要打断他。

40

认知能力　**打扫**

打扫房间需要用什么呢?

妈咪课堂 日常生活中，可以经常探索宝宝讲周围物品的用途，让宝宝了解各种物品的功能，并告诉宝宝一些事情必须借助相应的物品才能完成。 35 36

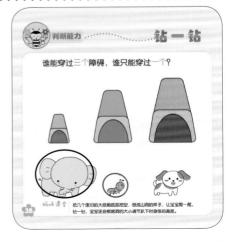

判断能力　**钻一钻**

谁能穿过三个障碍，谁只能穿过一个?

妈咪课堂 把几个废旧的大纸箱底部挖空，做成山洞的样子，让宝宝爬一爬、钻一钻，宝宝还会根据洞的大小调节身下付身体的高度。 38